Dans la gueule des lions
des lions

D1007409

L'auteur : Mary Pope Osborne a écrit plus de quarante livres pour la jeunesse récompensés par de nombreux prix. Elle vit à New York avec son mari, Will, et Bailey, un petit terrier à poils longs. Tous trois aiment retrouver le calme de la nature, dans leur chalet en Pennsylvanie.

L'illustrateur : Philippe Masson, né à Rennes en 1965, est issu d'une famille de marins bretons. Actuellement, il vit à Tours avec son amie et ses deux enfants, Lucas et Mona. Depuis 1997, il réalise les dessins de « Marion Duval » d'Yvan Pommaux pour le magazine *Astrapi*.

À Shana Corey

Titre original : *Lions at Lunchtime*
© Texte, 1998, Mary Pope Osborne.
Publié avec l'autorisation de Random House Children's Books,
un département de Random House, Inc., New York, New York, USA.
Tous droits réservés.
Reproduction même partielle interdite.
© 2005, Bayard Éditions Jeunesse
© 2004, Bayard Éditions Jeunesse pour la traduction française
et les illustrations.

Conception et réalisation de la maquette : Isabelle Southgate.
Colorisation de la couverture ; illustrations de l'arbre, de la cabane
et de l'échelle : Paul Siraudeau.
Suivi éditorial : Karine Sol.

Loi n° 49 956 du 16 juillet 1949
sur les publications destinées à la jeunesse.
Dépôt légal : 4e trimestre 2005 – ISBN : 2 7470 1847 4
Imprimé en Allemagne par Clausen & Bosse

Dans la gueule des lions

Mary Pope Osborne

Traduit et adapté de l'américain
par Marie-Hélène Delval

Illustré par Philippe Masson

QUATRIÈME ÉDITION

BAYARD JEUNESSE

Léa

Prénom : Léa

Âge : sept ans

Domicile : près du bois de Belleville

Caractère : espiègle et curieuse

Signes particuliers : ne manque jamais une occasion d'entraîner son frère, Tom, dans des aventures mouvementées, sans se soucier du danger.

Tom

Prénom : Tom

Âge : neuf ans

Domicile : près du bois de Belleville

Caractère : studieux et sérieux

Signes particuliers : aime beaucoup
les livres, qui l'aident à se sortir
de situations périlleuses.

Les onze premiers voyages de Tom et Léa

Tom et Léa ont découvert dans le bois de Belleville, perchée en haut d'un chêne, une cabane pleine de livres. C'est une

cabane magique !

Elle appartient à la fée Morgane, une magicienne et une célèbre bibliothécaire qui voyage à travers le temps et l'espace pour rassembler des livres.

Nos deux jeunes héros ont déjà vécu des **aventures extraordinaires** ! Il leur suffit d'ouvrir un livre, de poser le doigt sur une image en souhaitant se trouver à l'endroit représenté, et ils y sont aussitôt transportés !

Au cours de leurs quatre dernières aventures, Tom et Léa ont dû sauver quatre livres pour la bibliothèque de la fée Morgane avant qu'ils ne soient détruits.

Les enfants
ont fui les rues
de Pompéi.

Ils ont failli
être arrêtés par
le Roi-Dragon !

Ils se sont retrouvés
seuls sur un drakkar
en pleine tempête.

Souviens-toi...

Ils ont assisté
aux Jeux olympiques.

Nouvelle mission :

résoudre quatre énigmes

et récupérer leurs cartes de Maîtres Bibliothécaires

Merlin a confisqué les cartes MB de nos deux héros, car il les trouve trop jeunes et pas assez malins. Tom et Léa vont devoir lui prouver le contraire !

Trouveront-ils la solution de chaque énigme ? Éviteront-ils tous les dangers ?

 Lis vite les quatre nouveaux « Cabane Magique » !

★ N° 12 ★
Sauvés par les dauphins

★ N° 13 ★
Les chevaux de la ville fantôme

★ N° 14 ★
Dans la gueule des lions

★ N° 15 ★
Danger sur la banquise

Prêt à suivre Tom et Léa
dans leurs dangereuses aventures ?

Bon voyage !

Résumé des tomes précédents

★ ★ ★

Après une première expédition sous les mers, Tom et Léa se retrouvent au Far West, dans une ville fantôme. À peine arrivés, ils se cachent dans des tonneaux, échappant de peu à des brigands. Puis, le danger passé, ils tombent nez à nez avec Le maigre, un cow-boy qui vient juste de se faire voler ses chevaux, et décident de l'aider… Les voilà partis pour une longue chevauchée fantastique, dans le soleil couchant, tels des héros de western… Grâce à une attaque surprise, ils réussiront à récupérer les mustangs du cow-boy, et résoudront la deuxième énigme.

Une mystérieuse antilope

Tom et Léa reviennent du supermarché. Dans son sac à dos, Tom rapporte un pot de miel, un pot de confiture de fraises et un paquet de pain de mie.

– Qu'est-ce que tu prendras pour le goûter ? demande Léa. Une tartine de miel avec de la confiture ou une tartine de confiture avec du miel ?

– C'est pas vrai… ! s'exclame Tom.

– Tu pourrais répondre gentiment, grogne sa sœur.

Mais Tom ne parlait pas des tartines. Il

montre quelque chose du doigt et souffle :

– Regarde !

Au bout de la rue commence le sentier qui mène au bois de Belleville. Et là, dans l'ombre des arbres, se dresse une fine silhouette à quatre pattes, avec deux longues cornes torsadées.

– Une antilope ! murmure Léa. C'est un signe ! Comme la mouette et le lapin, tu te souviens ?

– Tu as raison ! Morgane nous attend !

Le gracieux animal bondit sur le sentier. Tom et Léa n'hésitent pas, ils s'élancent à sa suite.

Le sac de Tom lui bat les reins, et les pots s'entrechoquent à l'intérieur. L'antilope est rapide. Les enfants ont beau courir, elle a déjà disparu.

Quand Tom et Léa s'arrêtent, tout essoufflés, ils sont au pied du grand chêne.

La cabane magique est au sommet. Le soleil de l'après-midi qui passe entre les feuilles la baigne d'une lumière dorée. L'échelle de corde se balance doucement, comme si elle invitait les enfants à grimper.

– Morgane n'est pas arrivée ? s'inquiète Léa.

D'habitude, la fée se penche à la fenêtre pour les accueillir.

– Elle est sûrement là-haut, dit Tom. Viens, on monte !

Ils escaladent les échelons, passent par la trappe et surgissent dans la cabane.

Elle est vide. Un rayon de soleil éclaire les tas de livres. On voit deux rouleaux de parchemin dans un coin. Ils contiennent les réponses aux énigmes que Tom et Léa ont déjà résolues.

Tom pose son sac à terre. Léa regarde autour d'elle :

– Morgane nous a peut-être laissé un message ?

– C'est moi que vous cherchez ? demande une voix.

Les enfants se retournent.

– Morgane ! s'écrie la petite fille.

La fée vient d'apparaître, comme sortie de nulle part, très belle dans sa robe de l'ancien temps.

– Êtes-vous prêts à résoudre la troisième énigme ? s'enquiert-elle.

– Oui ! répondent-ils en même temps.

– Magnifique ! Je suis sûre que vous réussirez. Et Merlin sera bientôt obligé de vous rendre vos cartes de Maîtres Bibliothécaires.

La fée sort des plis de sa robe un troisième rouleau de parchemin et le tend à Léa. Puis elle remet à Tom l'album qui va les aider dans leur recherche.

Sur la couverture, on peut lire : *Dans les plaines d'Afrique.*

– L'Afrique ! s'exclame Tom. J'ai toujours rêvé d'y aller !

Il ouvre le livre et tombe sur l'image d'une immense prairie, où paissent des zèbres, des girafes, des buffles, des antilopes.

– Hé ! fait Léa. C'est une bête comme celle-ci qui nous a conduits à la cabane, aujourd'hui !

– Je ne vois pas de lions, remarque Tom.

– Vous en rencontrerez, promet Morgane.

– Ah ? Peut-être que… euh… on devrait s'équiper pour ce voyage ?

La fée le regarde en souriant :

– Ce n'est pas la peine. Partez tout de suite !

– Oui, mais…

Tom n'a pas le temps d'en dire plus, Léa a mis le doigt sur la page :

– Nous souhaitons être transportés ici !

Le vent commence à souffler, la cabane à tourner.

– Là-bas, prenez bien garde ! recommande la fée.

– À quoi ? s'inquiète Tom.

– Aux lions, bien sûr !

– Attendez ! Est-ce que… ?

Trop tard ! La cabane tourbillonne déjà comme une toupie folle. Le vent hurle. Tom ferme les yeux. La cabane tourne, tourne…

Puis tout s'arrête, tout se tait.

La traversée
de la rivière

Un chaud soleil inonde l'intérieur de la cabane. Une rumeur monte du dehors.

Léa va regarder par la fenêtre et se met à rire :

– Hé ! Bonjour, toi !

Une girafe broute les feuilles de l'arbre sur lequel s'est posée la cabane. Elle approche son long museau et regarde les enfants avec curiosité.

Tom a rejoint sa sœur. Il pousse une exclamation en découvrant le paysage : une plaine rase et jaunie, traversée par

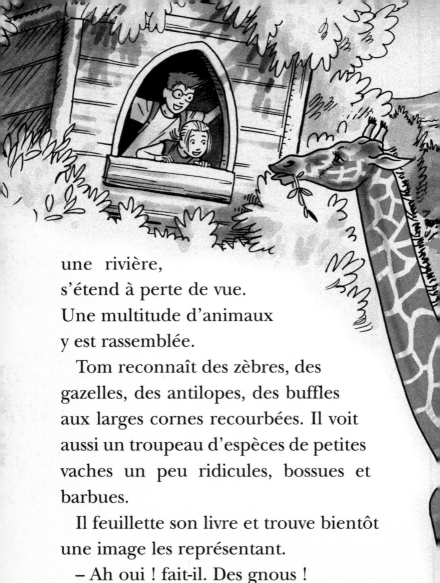

une rivière,
s'étend à perte de vue.
Une multitude d'animaux
y est rassemblée.

Tom reconnaît des zèbres, des
gazelles, des antilopes, des buffles
aux larges cornes recourbées. Il voit
aussi un troupeau d'espèces de petites
vaches un peu ridicules, bossues et
barbues.

Il feuillette son livre et trouve bientôt
une image les représentant.

– Ah oui ! fait-il. Des gnous !

Il se penche de nouveau à la fenêtre :

– Mais où sont les lions ?

– Je ne sais pas, dit Léa. En tout cas, il y a foule ! Qu'est-ce qu'ils fabriquent tous, ici ?

Tom reprend le livre et lit :

Chaque année, au début de septembre, juste avant les grandes pluies, des millions d'animaux, des zèbres, des gazelles, des gnous, quittent les plaines de Masaï Mara, au Kenya. Ils migrent vers la Tanzanie, qui, à cette saison, va se couvrir d'une herbe verdoyante.

– Ils… quoi ? demande Léa.

– Ils migrent. Ça veut dire qu'ils s'en vont ailleurs, comme les oiseaux qui partent vers le sud avant l'arrivée de l'hiver.

Tom tourne la page et continue :

D'énormes troupeaux traversent
la rivière Mara. La rive est parfois
escarpée et le courant violent.
Mais les animaux vont droit devant
eux, sans chercher le meilleur endroit
pour passer. Beaucoup se noient
ou sont dévorés par les crocodiles.

– Les pauvres ! soupire Léa. On voit bien
qu'ils ont peur !

C'est vrai. Sur la berge, une troupe
de bêtes à cornes semble regarder l'eau
bouillonnante avec inquiétude.

– Pas par là ! leur crie Léa. C'est trop
profond !

– Si tu crois qu'elles te comprennent !
se moque Tom.

Puis, fronçant les sourcils, il murmure :

– Je me demande quand même où sont
les lions…

– Je ne sais pas, répète Léa. Moi, j'y vais !

– Où ça ?

– À la rivière ! Il faut les aider !

– Aider qui ?

– Les animaux ! Je vais les aider à migrer.

– Tu es complètement folle !

Léa ne répond pas. Elle donne le parchemin de Morgane à son frère et commence à descendre.

– Attends ! lui lance Tom. On n'a même pas lu le texte de l'énigme !

Léa s'arrête, accrochée à l'échelle de corde :

– Eh bien, vas-y ! Lis !

Tom déroule le parchemin et déclame :

Du bel or j'ai la couleur
Et je suis si doux au cœur !
Mais celui qui me vole est sûr
De sentir vive brûlure.

Dès qu'il a fini, la petite fille disparaît :

– D'accord ! On cherchera la réponse
tout à l'heure.

– Léa ! Attends-moi !

Il se penche à la fenêtre et voit sa sœur
qui court entre les zèbres et les girafes.

– Je n'y crois pas ! marmonne-t-il.

Il se dépêche de ranger l'album et le parchemin dans son sac à dos, et descend à son tour. Dès qu'il a mis un pied par terre, il regarde prudemment autour de lui.

Les girafes grignotent les feuilles des arbres en étirant leur long cou, les zèbres broutent l'herbe rase en balançant leur queue. Des oiseaux aux vives couleurs passent dans le ciel en pépiant. Tout est tranquille.

Tom se pose juste une petite question : *où sont les lions ?*

Léa disparaît

– Alors, Tom, tu viens ? lance Léa, déjà presque arrivée au bord de la rivière.

– Tout de suite !

Mais, avant de s'éloigner de la cabane, Tom voudrait en savoir un peu plus sur tous ces animaux.

Il se plonge dans le livre :

**La girafe se nourrit surtout
de feuilles qu'elle attrape
en haut des arbres.
Elle broute aussi de l'herbe,**

mais elle doit écarter ses longues
jambes pour se baisser. Ses sabots
sont aussi grands que des assiettes,
et ses coups de patte sont terribles !
Les lions s'en méfient,
ils attaquent rarement les girafes.

« Ça, pense Tom, c'est intéressant… »
Il sort aussitôt son carnet pour noter :

> Les lions se méfient
> des girafes

Tom continue sa lecture :

Les zèbres vivent en troupeau.
Ils ont tous des rayures différentes.
C'est ainsi qu'ils se reconnaissent
entre eux. Les petits doivent
se rappeler quelle sorte de rayures
porte leur maman !

26

Le garçon observe un groupe de zèbres paissant non loin de là.

Il essaie de repérer leurs différences. Mais le soleil l'éblouit, les rayures se mélangent devant ses yeux. Il cligne des paupières et se remet à sa lecture :

**Lorsque les gnous
commencent leur migration,
les zèbres se mêlent à eux
pour traverser la rivière.
C'est une façon de se protéger
des fauves à l'affût.**

Tom relève la tête, inquiet : *les fauves…*

Pour l'instant, il n'y en a pas à l'horizon. Mais mieux vaut être prudent !

Là-bas, sur la rive, Léa court entre les bêtes en criant :

– Venez ! Suivez-moi ! Là-bas, c'est plus facile pour traverser !

Elle saute, elle agite les bras.

Mais les gnous, les zèbres et les gazelles se contentent de la regarder d'un air étonné.

Tom soupire :

– Il faut que j'aille la calmer avant qu'elle ait des ennuis !

Il range le livre et le carnet et trotte vers la rivière. Le sac lui cogne les reins. Il a oublié de laisser les pots de miel et de confiture dans la cabane.

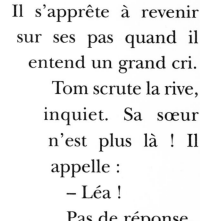

Il s'apprête à revenir sur ses pas quand il entend un grand cri.

Tom scrute la rive, inquiet. Sa sœur n'est plus là ! Il appelle :

– Léa !

Pas de réponse.

– Léa ?

La petite fille a disparu !

« Oh, non ! » pense Tom, catastrophé.

Tant pis pour les pots ! Il court

aussi vite qu'il peut vers la rivière en zigzaguant entre les bêtes.

La voix de sa sœur lui parvient alors :

– Au secours !

Bain de boue

Léa est là ! En s'approchant de la berge, elle a glissé dans une mare de boue. Elle y est enfoncée jusqu'à la poitrine.

– Vite, Tom ! supplie-t-elle. Aide-moi à sortir ! On dirait des sables mouvants !

Le garçon lâche son sac et s'avance prudemment à quatre pattes. Il désigne une grosse racine :

– Accroche-toi à ça !

Léa tend le bras :

– Trop loin ! souffle-t-elle. Tom, je m'enlise !

C'est vrai. Elle est dans la boue jusqu'aux épaules.

– Attends !

Tom regarde désespérément autour de lui. Il avise une branche tombée, près de la rive.

Il court la ramasser, la tend à sa sœur, embourbée maintenant jusqu'au cou. Léa attrape la branche.

– Tiens-la fort ! Je vais te tirer.

– Je m'enfonce encore ! gémit la petite fille.

– Tu peux y arriver ! l'encourage Tom. Cramponne-toi !

Il entend alors un grand SPLACH ! Ce sont des gnous qui se jettent à l'eau un peu plus loin. La migration a commencé.

Tom tire sur la branche de toutes ses forces. Léa se rapproche un peu. Mais la boue a atteint son menton.

– Sur la Lune*, halète la petite fille, je me sentais aussi légère qu'une plume. Et là, j'ai l'impression d'être un morceau de plomb !

– Tais-toi ! Concentre-toi !

– C'est ce que je fais !

À cet instant, une ombre passe au-dessus d'eux. Tom lève la tête.

Un énorme vautour plane bas dans le ciel en décrivant de larges cercles. Ces oiseaux-là mangent les cadavres, les enfants le savent.

– Fiche le camp, sale bête ! l'apostrophe Léa. Je ne suis pas encore morte !

La peur et la colère lui donnent une nouvelle énergie. Elle tire un grand coup sur ses bras et réussit à agripper la racine.

– Bravo, Léa ! crie Tom, soulagé.

* Lire le tome 7, *Le voyage sur la Lune*.

Petit à petit,
elle émerge
de la boue.
Enfin elle rejoint la terre ferme.
Elle est noire et gluante de la

tête aux pieds et du T-shirt aux baskets.

La petite fille fait un pied de nez au vautour :

– Raté pour toi ! Va déjeuner ailleurs !

Mais l'affreux oiseau continue de tournoyer au-dessus de la rivière.

– Oh, non ! s'exclame alors Léa. Les bêtes viennent par ici ! Elles vont s'enliser, elles aussi !

Et elle se met à courir le long de la rive en agitant les bras :

– Non ! Non ! Pas par là ! Traversez plus loin ! Plus loin, je vous dis !

Ricanements

Les bêtes s'arrêtent et suivent Léa des yeux. La petite fille court vers un endroit où la berge, en pente douce, est couverte de sable.

– Par là ! Par là ! hurle-t-elle.

Tom, stupéfait, voit alors un énorme troupeau de gnous et de zèbres s'ébranler et se diriger vers cette espèce de plage.

Léa les dirige en étendant les bras, comme un agent de la circulation.

Décidément, sa sœur sait s'y prendre avec les animaux !

– Reviens, Léa ! lui ordonne-t-il. Tu vas finir par te faire piétiner !

Quand elle le rejoint, tout va bien. Les bêtes traversent la rivière, reprennent pied de l'autre côté et commencent aussitôt à brouter l'herbe épaisse.

– Beau travail, Léa ! lance Tom.

– Merci ! Bon, maintenant, on cherche la solution de l'énigme !

– D'abord, tu te nettoies un peu ! Tu ressembles à une statue de boue.

– Tu peux parler ! Tu es presque aussi sale que moi.

Un éclat de rire moqueur retentit alors derrière eux. Les enfants se retournent.

Deux animaux qui ressemblent à de gros chiens, jaunes tachetés de brun, très laids, les regardent et poussent de nouveau leur drôle de cri.

– Ha, ha, ha ! les imite Léa. Si vous croyez que vous avez l'air malin, vous aussi… !

– Qu'est-ce que c'est que ces bêtes-là ? s'interroge Tom.

Il reprend le livre, trouve l'image correspondante et lit :

La hyène est un carnassier à la mâchoire puissante, capable de broyer les os les plus durs. Elle se nourrit surtout de charognes. Son cri rappelle un rire.

– C'est quoi, des charognes ? demande Léa.
– Des bêtes mortes.

Les deux hyènes rient encore et avancent lentement vers les enfants.

– Elles ne mangent que des bêtes mortes, t'es sûr ? chuchote Léa, pas très rassurée.

Tom continue la lecture :

Les hyènes ont la réputation d'être peureuses.

Les bêtes ricanent en montrant leurs crocs. Elles avancent encore.

Tom et Léa se regardent. Ils ont la même idée.

Tous deux se mettent à faire d'horribles grimaces et hurlent : BOUOUOUOU !

Aussitôt, les hyènes s'enfuient, la queue entre les pattes, avec des jappements terrifiés.

– Bande de froussardes ! leur lance Léa en rigolant. Bon, allons nous laver !

Tom la retient :

– Pas dans la rivière ! Il y a trop de courant. Et souviens-toi de ce que dit le livre : il y a peut-être des crocodiles.

Les enfants suivent le cours d'eau, et arrivent à l'orée d'une forêt.

Ils y découvrent une mare d'eau claire où des zèbres sont en train de se désaltérer.

– Ici, ça me paraît bien, dit Léa.

– Oui, approuve Tom. Les zèbres boivent tranquillement, c'est qu'il n'y a pas de danger.

Ils s'approchent. Les animaux s'écartent un peu pour les laisser passer.

Arrivés au bord de l'eau, Tom laisse son sac glisser à terre. Il observe prudemment les alentours : pas de lion en vue !

Soudain, un terrible barrissement retentit, et une silhouette imposante surgit d'entre les arbres.

Une bonne douche

– Surtout ne bouge pas ! souffle Tom à sa sœur.

Tous deux s'immobilisent, tandis qu'un éléphant s'avance pesamment. Il entre dans la mare et plonge sa trompe dans l'eau.

– Ouf ! fait Léa. Il vient seulement boire. Il ne va pas nous charger.

Tout de même, cette bête est *énorme* ! Et plutôt impressionnante !

– Éloignons-nous doucement, chuchote Tom.

– Attends ! J'ai envie de le regarder un peu.

Cette Léa ! Dès qu'il y a un animal dans le coin, elle n'écoute plus rien.

– Très bien ! soupire Tom. Je te laisse. Je vais résoudre l'énigme tout seul. On se retrouve à la cabane. À plus tard !

Il commence à s'éloigner quand un bruit bizarre le fait se retourner. Alors, il reste bouche bée : l'éléphant a rempli sa trompe d'eau, et il arrose Léa !

Elle rit aux éclats :

– Il est super, cet éléphant ! Il me douche !

Le gros animal aspire l'eau de nouveau, et recommence.

L'eau boueuse dégouline du visage de Léa, de ses cheveux, de ses bras, de ses vêtements, de ses jambes, de ses baskets, et forme une petite mare à ses pieds. Bientôt, Léa est propre.

– À ton tour, Tom ! lance-t-elle.

Le garçon s'avance et ferme les yeux. Une cascade d'eau tiède lui tombe dessus. C'est la plus incroyable douche qu'il ait jamais prise !

Dès que Tom est propre lui aussi, l'éléphant pousse un barrissement joyeux, et il se met à s'arroser lui-même en balançant sa trompe.

– Merci ! lui dit Léa. Avec ce soleil qui va nous sécher en un rien de temps, on va être comme des sous neufs !

– Oui, merci beaucoup ! renchérit Tom.

Il reprend son sac et déclare :

– Maintenant, passons aux choses sérieuses. Il faut qu'on cherche la solution de l'énigme. Alors on pourra partir d'ici avant de rencontrer des bêtes... euh... moins sympathiques !

Il regarde autour de lui d'un air inquiet. Il doit tout de même y avoir des lions quelque part. Où se cachent-ils ?

Un petit oiseau gris volette au-dessus de leur tête en pépiant.

– Qu'est-ce que tu veux, toi ? lui demande Léa.

Tom continue :

– D'après le texte de l'énigme, on cherche un truc doux et doré.

L'oiseau s'en va, revient, sans cesser de pépier.

– Tu veux nous montrer quelque chose ? insiste la petite fille.

– Léa ! Laisse cet oiseau tranquille et écoute-moi !

– Je t'assure qu'il nous parle, Tom !

Le garçon soupire, exaspéré :

– Tu ne peux pas te concentrer deux minutes !

– Mais j'ai l'impression qu'il nous appelle à l'aide ! Ses petits sont peut-être tombés du nid.

– Enfin, Léa, tu ne peux pas sauver tous les animaux d'Afrique en danger !

– Cet oiseau est important, crois-moi !

Le volatile s'est perché sur la branche d'un arbre. Il regarde les enfants en penchant la tête.

– Tu vois, s'obstine Léa. Il nous fait signe de le suivre.

L'oiseau s'envole et s'enfonce dans la forêt. Aussitôt, elle s'élance derrière lui.

– Léa ! Reviens ! Il y a sûrement des...

Trop tard ! La petite fille et l'oiseau ont

disparu derrière les arbres.

– … des serpents et des lions, termine Tom pour lui-même.

– Tu viens ? l'appelle la voix de sa sœur.

Tom grommelle et se met à courir, les pots de miel et de confiture lui battant le dos à travers la toile du sac.

Un oiseau très gourmand

Il fait bien plus frais à l'ombre des arbres. La forêt est pleine de cris d'oiseaux.

– Où es-tu, Léa ? crie Tom.

– Ici !

Tom rejoint sa sœur dans une petite clairière. Des rais de soleil passent entre les feuilles. Des lianes et des lichens pendent des branches.

L'oiseau gris s'est posé et gazouille en regardant les enfants.

– C'est son nid ? s'étonne Léa en désignant une curieuse masse brune, de forme ovale, accrochée à une branche. Il est plutôt bizarre !

– Ce n'est pas un nid, dit Tom. C'est une ruche. Tu ne vois pas toutes ces abeilles qui bourdonnent autour ?

– Ouille ! crie Léa en reculant vivement.

Elle aime toutes les bêtes, sauf les petites qui piquent !

Mais l'oiseau se perche sur la ruche et donne de petits coups de bec.

– Qu'est-ce qu'il fait ?

– Je ne sais pas, dit Tom. Il doit être aussi fou que toi !

– Regarde dans le livre, on en parle peut-être !

Tom hausse les épaules :

– Tu crois qu'on parle d'un oiseau aussi ordinaire, là-dedans ?

Il sort tout de même le livre de son sac et le feuillette. Pas de petit oiseau gris !

– Regarde mieux ! insiste Léa.

Tom tourne encore quelques pages…

Il tombe sur une image représentant l'oiseau, un essaim d'abeilles et un guerrier au visage peint qui porte une lance. Il lit :

Ce petit oiseau brun ou gris
s'appelle un indicateur.
Il est très utile aux Masaï,
une tribu africaine qui vit au Kenya.

– Donc, déduit Tom, ce guerrier est un Masaï.

Il continue la lecture :

L'indicateur aime beaucoup la cire, qu'il est capable de digérer. Alors, il attire l'homme par ses cris, et le conduit jusqu'à un nid d'abeilles sauvages. Quand l'homme a retiré le miel, l'indicateur fait un festin de cire et de larves d'abeilles.

– Bonjour, indicateur ! dit Léa. Je savais bien que tu voulais nous montrer quelque chose. Attends ! On va chasser les abeilles, et tu vas te régaler !

– Chasser les abeilles ? Tu es complètement marteau ! Elles vont se mettre en colère, et nous piquer par centaines !

– Oh ! fait Léa. Je n'avais pas pensé à ça. Comment ils s'y prennent, alors, les Masaï ?

– Aucune idée ! Peut-être qu'ils font un feu ; les abeilles n'aiment pas la fumée…

– Dis donc, Tom, reprend Léa, c'était quoi, déjà, l'énigme ?

– L'énigme ? Ça parle de… euh, d'or et…

– MIEL ! crie Léa. J'ai trouvé ! La solution de l'énigme, c'est MIEL !

Tom se dépêche de sortir le parchemin de son sac, et il relit à haute voix :

Du bel or j'ai la couleur
Et je suis si doux au cœur !

– Oui, le miel, c'est doré, doux et sucré…

– C'est ça ! Continue !

Mais celui qui me vole est sûr…

– « … de sentir vive brûlure », termine Léa. C'est vrai, une piqûre d'abeille, ça brûle !

– Alors, cent piqûres d'abeilles, tu imagines ?

Léa rit. Puis elle se tourne vers le petit oiseau gris et dit :

– Merci, indicateur ! Grâce à toi, on a trouvé la solution de l'énigme ! Mais, si tu veux manger la cire des abeilles, il faut que tu attendes un guerrier Masaï, parce que nous…

À ce moment, Tom la tire par la manche.

La petite fille se retourne, et elle reste bouche bée : devant eux se dresse un homme très grand, très mince, très beau. Son visage est orné de peintures, et il tient une lance à la main.

Un guerrier Masaï !

Drôle de pique-nique !

Le guerrier fixe les enfants, aussi immobile qu'une statue.

– C'est… euh, c'est l'indicateur qui nous a amenés ici, explique Léa.

– On n'a pas volé votre miel ! dit Tom. Nous, on a notre goûter dans ce sac !

L'homme ne dit rien et fronce les sourcils.

« Est-ce qu'il est en colère ? » se demande Tom.

Il ouvre son sac et déclare :

– Nous venons en amis ! Nous avons même un cadeau pour vous !

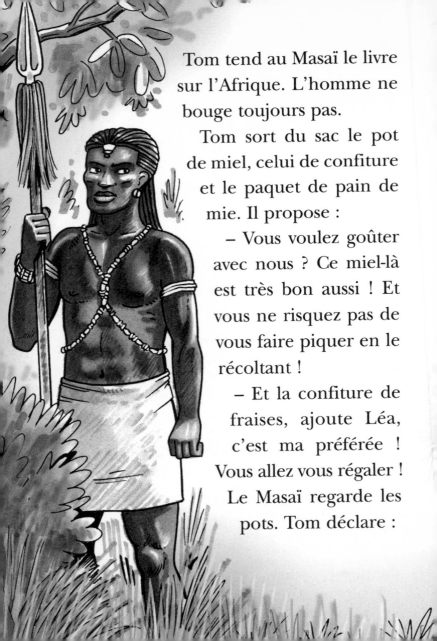

Tom tend au Masaï le livre sur l'Afrique. L'homme ne bouge toujours pas.

Tom sort du sac le pot de miel, celui de confiture et le paquet de pain de mie. Il propose :

– Vous voulez goûter avec nous ? Ce miel-là est très bon aussi ! Et vous ne risquez pas de vous faire piquer en le récoltant !

– Et la confiture de fraises, ajoute Léa, c'est ma préférée ! Vous allez vous régaler ! Le Masaï regarde les pots. Tom déclare :

– Attendez ! On va vous faire une tartine.

Il ouvre le paquet de pain de mie ; ses mains tremblent un peu. Léa, elle, dévisse tranquillement les couvercles des pots.

– Désolée, dit-elle au guerrier, on n'a pas de petite cuiller ! Je vais étaler avec mes doigts. Mais ils sont propres, un éléphant vient juste de…

– Ça va, Léa ! chuchote Tom. Fais-lui sa tartine, il ne comprend pas ce que tu dis.

– D'accord, d'accord, grommelle Léa en plongeant ses doigts dans la confiture.

Elle tend la tranche de pain au Masaï. Celui-ci la prend, la regarde…

Léa se prépare vite une tartine de confiture, Tom s'en fait une au miel, et tous deux mordent dedans avec des mines gourmandes.

– Hum ! C'est bon ! dit Léa.

– Hum ! Délicieux ! renchérit Tom.

L'homme porte la tartine à sa bouche et commence à manger sans quitter les enfants des yeux.

– Quand on mange dehors, explique Léa, ça s'appelle un pique-nique. Alors, comment vous la trouvez, la confiture de fraises ?

Le Masaï ne répond pas, mais il fait un grand sourire.

– On dirait que ça lui plaît ! dit Léa.

Elle prépare une autre tartine pour le guerrier, et une pour elle.

Tom s'en fait une deuxième aussi.

Quand ils ont mangé tout le paquet de pain et vidé les deux pots, le guerrier se détourne et s'enfonce dignement dans la forêt en mordant dans sa dernière tartine.

– Ouf ! soupire Tom. J'ai quand même eu un peu peur... Bon, on s'en va !

Léa acquiesce.

Les enfants referment les pots, les rangent dans le sac.

– On retourne directement à la cabane, déclare Tom. Tu entends, Léa ? Tu ne fais plus de bêtises, tu n'essaies plus d'aider ou de sauver aucun animal, d'accord ?

– C'était pas une bêtise, bougonne sa sœur. Sans le petit indicateur, on n'aurait pas trouvé la solution de l'énigme.

– Oh, d'accord !

Tous deux sortent de la forêt.

Ils suivent un moment la rivière, puis marchent entre les zèbres et les gnous en direction de l'arbre où la cabane est posée.

Des girafes grignotent les feuilles des arbres alentour en étirant leur long cou.

Soudain, Léa s'arrête :

– Aïe, aïe, aïe…

Le cœur de Tom fait un grand bond dans sa poitrine : juste au pied de l'arbre où les attend la cabane magique, une famille de lions fait sa sieste.

« Eh bien, les voilà, les lions… », pense-t-il, la bouche sèche.

9

Entre les pattes de la girafe

Tom et Léa s'aplatissent dans l'herbe. Il y a un grand lion, trois lionnes et plusieurs lionceaux.

– On dirait qu'ils sont endormis, chuchote Léa.

– Oui, souffle Tom. Mais pour combien de temps ?

Avec précaution, il sort de son sac le livre sur l'Afrique. Il le feuillette sans bruit. Il trouve une image de lions dormant sous un arbre.

Il lit le texte à voix basse :

Lorsque les lions ont fini de chasser
et qu'ils ont bien mangé,
ils font la sieste pendant des heures.

– Qu'est-ce qu'ils ont mangé ? demande
Léa.
– Ne t'inquiète pas de ça !
Tom continue :

Les gazelles, les zèbres, les gnous,
les antilopes en profitent pour
brouter tranquillement.

– Puisque toutes ces bêtes se sentent en
sécurité, on n'est pas en danger nous non
plus, affirme Léa en se relevant.

Tom la rattrape par la jambe :

– Pas si vite !

Il regarde autour de lui. Ce que dit le livre
semble vrai : les zèbres, les gazelles et les
girafes ne font même pas attention aux lions.

Mais Tom n'est pas complètement rassuré :

– Et s'ils se réveillent juste au moment
où on passe ? En plus, quand ils se réveille-
ront, ils auront faim !

– Qu'est-ce qu'on fait, alors ?

– J'ai un plan : on marche sur la pointe
des pieds.

– Sur la pointe des pieds ?

– Oui ! On va jusqu'à l'échelle en silence.

– Très bon plan ! approuve Léa.

Tous deux se relèvent et font quelques pas prudents. Le grand mâle fouette l'air de sa queue. Tom et Léa s'immobilisent. Le lion se rendort.

Les enfants avancent de nouveau.

Tout à coup, un rire moqueur éclate derrière eux. Ils se retournent : les hyènes sont revenues !

Tom et Léa leur font d'affreuses grimaces, ils agitent les bras en silence pour les

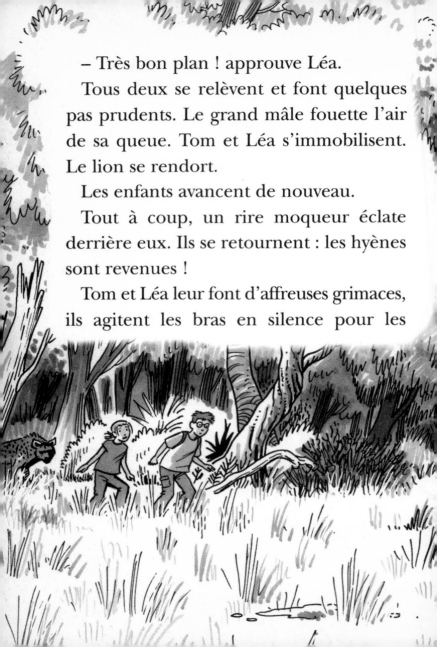

effrayer. Les hyènes rient encore plus fort.

L'énorme lion s'étire paresseusement. Ses paupières s'entrouvrent. Tom n'ose plus bouger un doigt. L'animal lève la tête. Il bâille, et ses crocs luisent dans le soleil.

Tom sent ses bras se couvrir de chair de poule. Le fauve promène autour de lui un regard à moitié endormi. Puis il se redresse, secoue sa crinière, et plonge ses yeux dorés dans ceux du garçon.

Le cœur de Tom se met à cogner à grands coups.

Il réfléchit à toute vitesse, et il se souvient de ce qu'il a lu dans le livre : *les lions se méfient des girafes.*

Il regarde autour de lui. Une girafe se dirige justement vers l'arbre où est perchée la cabane magique.

Ça y est, Tom a un nouveau plan ! Il chuchote à Léa :

– Viens ! On se glisse sous la girafe.

Sa sœur se tapote la tempe du doigt :

– Là, c'est toi qui es marteau !

Mais Tom l'attrape par la main et l'entraîne.

La girafe est si grande que les enfants peuvent se tenir debout entre ses pattes ; c'est à peine si les cheveux de Tom touchent le ventre de l'animal. La gracieuse bête ne semble pas dérangée par leur présence. Elle continue de marcher nonchalamment.

Tom et Léa avancent au même rythme.

Peu à peu, ils se rapprochent de l'arbre. Mais... ils se rapprochent aussi des lions !

Le grand mâle s'est levé. Il hume l'air, observe la girafe d'un air étonné.

L'échelle de corde est tout près, maintenant. Tom souffle :

– On y va !

Les enfants quittent en courant leur abri à quatre pattes.

Léa s'agrippe aux barreaux et grimpe à toute vitesse. Tom grimpe derrière elle.

Le lion rugit et bondit. Trop tard ! Les hyènes éclatent de rire : Tom et Léa sont dans la cabane !

Léa se dépêche de dérouler le parchemin. Le texte de l'énigme s'est effacé. À la place, un mot scintille, en grandes lettres d'or :

MIEL

– Gagné ! s'écrie la petite fille.

Tom s'empare du livre où l'on trouve l'image du bois de Belleville.

D'une seule traite, il récite :

– Noussouhaitonsreveniricitoutdesuite !

Au même instant, la girafe passe sa tête par la fenêtre.

– Au revoir, ma jolie ! lui dit Léa.

Et elle lui fait un baiser sur le nez.

Le vent s'est déjà mis à souffler. La cabane commence à tourner. Tom ferme les yeux.

Le vent hurle. La cabane tourne plus vite, de plus en plus vite.

Puis tout s'arrête, tout se tait.

Plus qu'une énigme !

Tom rouvre les yeux, le cœur battant. Le rire des hyènes résonne encore dans ses oreilles.

– On a réussi ! s'écrie Léa.

– Oui ! Mais il était moins une ! Sans la girafe, on finissait dans la gueule des lions !

Le garçon respire profondément pour retrouver son calme.

Puis il sort le livre sur l'Afrique de son sac et va le ranger avec les autres.

Léa dépose le troisième parchemin près des deux premiers.

– La réponse à l'énigme, ça pouvait être *girafe* ! remarque-t-elle. Elle est douce et dorée, comme le miel !

– Oui, approuve Tom en riant. Et, quand elle envoie un coup de pied, on doit sentir *vive brûlure* !

– Plus qu'une énigme à trouver, et on récupérera nos cartes de Maîtres Bibliothécaires !

– Oui ! Et j'espère que Morgane aura d'autres missions à nous confier !

– Moi aussi ! approuve Tom.

Il a déjà oublié sa peur des lions.

– Rentrons, dit-il. Maman doit nous attendre pour le goûter.

– Moi, je n'ai plus faim !

– Moi non plus…

Ils quittent la cabane l'un derrière l'autre et prennent le sentier qui mène chez eux.

– Qu'est-ce qu'on va dire à maman ? demande Léa.

– On racontera que… qu'on a partagé nos tartines de miel et de confiture avec un guerrier Masaï !

– Ah oui ! Parce qu'on avait très faim ! Forcément ! On venait d'aider des tas de gnous à migrer !

– Et tu avais failli te noyer dans une mare de boue !

– Alors, un éléphant nous a douchés.

– Et on a fait peur à des hyènes qui n'arrêtaient pas de rigoler !

– Maman va dire : « Je comprends ! Les aventures, ça creuse ! »

Ils éclatent de rire tous les deux.

Les voilà dans leur rue. Ils traversent leur jardin, poussent la porte de leur maison.

Depuis la cuisine, leur mère leur crie :

– Tom ! Léa ! Venez goûter !

À suivre

Découvre vite la suite
des aventures de Tom et Léa dans
Danger sur la banquise.

La cabane magique

propulse
Tom et Léa
au pôle Nord

★ 2 ★
Le chasseur de phoques

Tom et Léa frissonnent ; il fait atrocement froid. Ils regardent par la fenêtre.

Pas un arbre, pas une maison, rien qu'une immense étendue de neige et de glace, sous un immense ciel gris.

La cabane s'est posée sur le sol. Morgane et la chouette ont disparu.

– L...l...lis l'é...l'é...l'énigme ! fait Léa en claquant des dents.

Tom déroule le parchemin et lit :

Derrière moi, on se cache,
Avec moi, on se déguise.
Mais derrière moi, aussi,
on trouve parfois du courage.

– Je vais recopier ça dans mon carnet pour m'en souvenir, dit Tom.

★ ★ ★ ★ ★ ★ ★ ★ ★ ★

Ses doigts sont déjà gourds, il a du mal à écrire. Quand il a fini, il feuillette le livre.

Il tourne la page et découvre la photo d'un homme portant un vêtement de peau, avec une capuche bordée de fourrure :

– Regarde !

– Il nous faut un manteau comme ça !

Tom lit encore :

Ce chasseur a revêtu une tenue en peau de phoque, qui le protège du vent glacé.
C'est le vêtement traditionnel des Inuit, les habitants de l'Arctique.
Dans leur langue, Inuit signifie « hommes ».

Il souffle sur ses doigts en bougonnant :

– J'aimerais mieux être au chaud sous ma couette !

– Morgane a promis de nous envoyer quelqu'un, lui rappelle Léa.

– Eh bien, ce quelqu'un a intérêt à se dépêcher, sinon, on va se transformer en glaçons !

★ ★ ★ ★ ★ ★ ★ ★ ★ ★

– Chut ! Écoute !

Un long hurlement monte, au loin. Puis un autre, et un autre encore.

– Qu'est-ce que c'est ? fait Tom.

Ils se précipitent à la fenêtre, mais ils ne voient rien. La neige s'est remise à tomber.

Les hurlements se rapprochent, accompagnés d'espèces de jappements.

Des silhouettes à quatre pattes galopent dans la neige. Elles se dirigent vers la cabane !

– Des… des loups ? balbutie Léa.

– De mieux en mieux ! râle Tom. On est à moitié morts de froid, et une meute de loups affamés est à nos trousses !

Les enfants se blottissent l'un contre l'autre au fond de la cabane.

 Que vont devenir
Tom et Léa ?

Trouveront-ils la solution de la dernière énigme ?

★ ★ ★ ★ ★ ★ ★ ★ ★ ★

Si tu as envie de nous donner
tes impressions sur la série
ou nous parler de tes propres voyages,
réels ou imaginaires,
n'hésite pas à nous écrire !

Bayard Éditions Jeunesse
Série Cabane Magique
3, rue Bayard
75008 Paris

N'oublie pas d'écrire
ton nom et ton adresse sur la lettre !